por SALVADOR CABALLERO y CECILIA CABALLERO

Illustrado por Marharyta Y. Watanabe

Printed by KDP in the United States of America.

First printing, 2020.
La Belle Lune Publishing House

Digital Book- ASIN:B08DR5JYLS
Paperback Book- ISBN:978-1-953154-03-3
Hardcover Book- ISBN:978-1-953154-01-9
Spanish Paperback Book- ISBN:978-1-953154-04-0

www.BelleLuneBooks.com

A mi padre, quien creó este
cuento y la compartió con sus hijos. Mis hermanos
y yo compartimos el cuento con nuestros hijos y ellos,
con sus hijos. Ahora este cuento mexicano ha
trascendido cuatro generaciones de la
familia Caballero. Tata, te amamos,
te admiramos, te extrañamos,
y estamos agradecidos
de haber sido
amados
por tí.

Con Mucho Amor,

La Familia Caballero CC

Este es un cuento de un niño llamado Gaél, que estaba barriendo y se encontró un centavito de oro debajo de la tierra en el patio de su casa. Sus ojos brillaban de alegría al encontrar este tesoro.

Gaél comenzó a decir- "¿Qué compraré, qué compraré? Si compro cacahuates, ensuciarán el piso que acabo de barrer. Si consigo algunas mandarinas, las cáscaras terminarán en el suelo. Si consigo algunas bananas, las cáscaras también se irán al piso. Si compro dulces, los envoltorios harán un desastre y tendré caries."

Mientras Gaél estaba sumido en sus pensamientos, escuchó una voz lejana la cual se oía más fuerte mientras se estaba acercando. Se dio cuenta de que era la chica del pueblo, Clara, en su ruta habitual de ventas. Hoy, ella estaba vendiendo pequeñas guitarras.

Gaél, se emocionó y dijo- "Sí, eso es lo que voy comprar y corrió hacia ella. Él le dio su moneda de oro. Ella le regresó muchas monedas de cambio y le preguntó- "¿cuál quieres?"

"¡La guitarrita azul!" Gaél gritó de alegría, lleno de energía dentro de su cuerpo. Comenzó a cantar alegremente cuando escuchó que su mamá lo llamaba.

Gaél corrió hacia su mamá, le dio todas las monedas ,
y le contó sobre el tesoro encontrado.
Mamá sonrió y acarició a su pequeño hijo.

Mamá le pidió una canción en su guitarra.
A ella le gusto escuchar su voz encantadora.
Gaél sonrió por ver a su mamá contenta.
Entonces, mamá le pidió a Gaél que subiera a la montaña
y buscara más leña para la chimenea.
Mamá se arrodilló, abrazó a su niño y le dijo-
"Te quiero, mijo. Ten cuidado y regresa pronto."

Gaél subió a la montaña y vio a su amigo el conejito, quien dijo- "¡Guau! ¿Es guitarra nueva, amigo? ¡Es hermosa!" Gaél le dio las gracias y siguió su camino, saltando y tocando sus canciones. Luego se encontró con algunos de sus amigos los pajaritos, que comenzaron a cantar junto con él.

Cuando Gaél se acercó al laguito, una ranita se unió
a la canción y lo felicitó por su hermosa música.
Siguió subiendo la montaña y vio a muchos amigos más:
un venadito, un osito pardo, algunas abejas, ardillas y muchos
otros animales del bosque, que también le dijeron lo bueno
que era para tocar su guitarrita. Gaél les agradeció a todos.

Finalmente llegó al lugar donde debería haber estado la leña, pero no encontró ni un solo pedazo de leña. Estaba confundido mientras buscaba a su alrededor.

En ese momento una hormiga colarada gigante de fuego dijo- "Chico, te ves perdido. ¿Puedo ayudarte?"

Gaél respondió- "Sí, por favor. Estoy buscando leña." La hormiga roja de fuego dijo- "Puedo decirte dónde encontrar leña, pero tienes que prestarme tu guitarrita." "¡Claro, por supuesto!" Gaél respondió. Se hizo el trato, Gaél le prestó a la hormiga su guitarra. La hormiga comenzó a susurrarle al oído- "Baja un poco la montaña, alrededor de la cueva, y encontrarás toda la leña que tu pequeño corazón podría desear."

Gaél se adentró en el bosque,
pensando en lo feliz que estaría mamá de beber chocolate
caliente sabor lavanda junto a la chimenea en la noche.

Gaél regresó por la montaña hacia el árbol donde la hormiga de fuego tocaba su guitarra. Él amablemente esperó a que la hormiga terminara de tocar y luego dijo- "Amigo hormiga, he vuelto por mi guitarra. Gracias por ayudarme a encontrar leña. Ahora tengo que regrezar a casa." La hormiga apenas miró al niño y dijo- "Entonces sigue tu camino." Gaél estaba confundido y dijo en voz baja- "Sí, me iré, pero primero necesito que me devuelvas mi guitarrita."

La hormiga roja miró al niño y dijo-
"¿Quieres mi guitarra? El trato fue que tu me darías
la guitarrita y yo te ayudaría
a encontrar leña. Hice mi parte.
¡Ahora, esta es MI guitarra!"

El niño no dijo nada cuando se dio cuenta
de la traición de la hormiga. La hormiga roja
vio que los sentimientos del niño
estaban heridos y comenzó a burlarse de él. Luego,
le gritó que se fuera a su casa.
El niño no tenía palabras, solo un gran nudo en
la garganta. Se sentía más pequeño que nunca,
incluso más pequeño que esa hormiga.

Mientras corría llorando a su casa, Gaél vio a un osito grizzly que preguntó- "Niño, ¿por qué lloras?" Gaél le contó de la traición de la hormiga colorada y cómo le había robado su guitarrita. El osito dijo- "Oh, lo siento, pequeño, pero no puedo ayudarte."

Continuó caminando tristemente mientras las lágrimas rodaban por sus mejillas. Encontró un venadito, mariposas, conejitos, muchos sapos, peces, y ninguno de ellos pudieron ayudarlo a recuperar su guitarrita porque todos sabían que la hormiga tenía un ejército de hormigas de fuego que los picarían a todos.

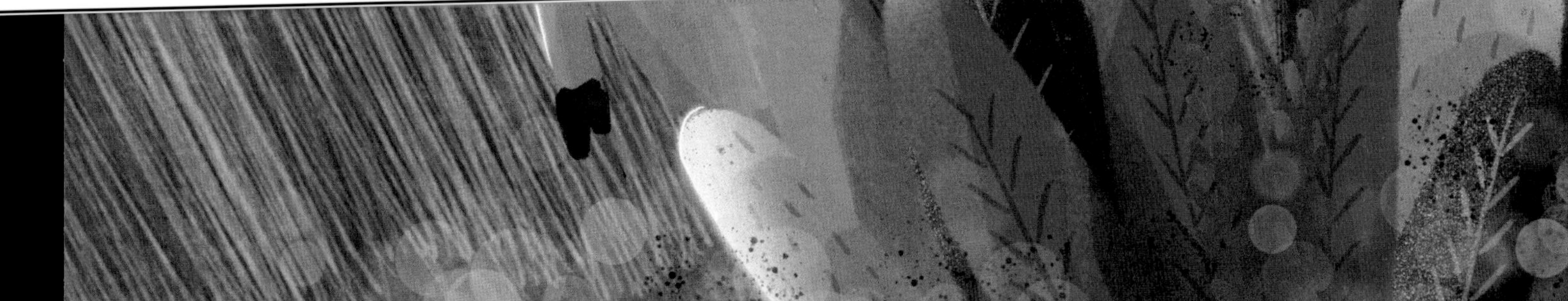

Una vez que estuvo cerca de su casa, vio una colmena y las abejas
preguntaron- "¿Por qué lloras tanto?"
Gaél les contó cómo la gran hormiga roja lo había engañado
y robado su guitarrita.

Una pequeña abeja sacudió su cabecita y dijo- "Esa hormiga malvada otra vez de ladrona. Pero no te preocupes, yo te ayudaré." La pequeña abeja susurró un plan en la oreja de Gaél para recuperar su guitarrita.
Gaél fue a darle la leña a su mamá y volvió corriendo al árbol de hormigas de fuego.

Gaél dijo- "Hola, hormiga, he vuelto por mi guitarrita."
La gran hormiga roja lo ignoró. El niño preguntó una vez más-
"Querida hormiga, por favor devuelve mi guitarrita."
La hormiga respondió- "Esta es mi guitarra. Me la diste. ¡Ahora vete!"
Gaél lo intentó por tercera y última vez. "Hormiga, acabo de comprar
mi guitarrita hoy y acordamos que te la prestaría.
Por favor, se honesto y dame mi guitarrita."

La gran hormiga roja soltó una risa profunda que rugió por todo el bosque y dijo- "Querido niño, eres demasiado confiado. ¡Nunca te devolveré esta guitarra!"

Gaél no lloró esta vez, ni tenía un nudo en la garganta, porque sabía que la pequeña abeja estaba allí con él.

Mientras tanto, la pequeña abeja estaba en el otro árbol, afilando su aguijón. Gaél chifló y dió la señal a la pequeña abeja. Cuando la abejita escuchó al niño silbar, voló hacia atrás tan rápido como un cohete.

Se lanzó y aterrizó precisamente en la pompi izquierda
de la hormiga roja con su afilado aguijón.
La hormiga gritó y de sus manos salió volando la guitarrita.

Gaél corrió, atrapó su guitarrita y comenzó a cantar-

"¡Chirrín chin-chin que le picó,
en una nalga que se le inchó,
con agua caliente se le quitó,
su mala costumbre se marchitó!"

Colorín colorado, este cuento se ha acabado.

Se amable.

Dulces sueños.

EL FIN

Otros libros de Cecilia Caballero

- The Potty Quest
- Lavender Little Girl
- Serie Rouge Dragon Tales
  - Libro 1- Rouge: Dragón Encantado
  - Libro 2- Rouge: Fuente Mágica
  - Libro 3- Rouge: El Mal Revelado
  - Libro 4- Rouge: Dragones Unidos
  - Libro 5- Rouge: Nuevos Comienzos

Para más información visita
www.CeciCaballero.com

Suscríbete al boletín para obtener ediciones de libros electronicos,
planes de lecciónes, juegos, páginas para colorear y mucho más. Todo gratis.